COMMENTAIRE ÉTHIOPIEN
SUR LES BÉNÉDICTIONS DE MOÏSE
ET DE JACOB

CORPUS

SCRIPTORUM CHRISTIANORUM ORIENTALIUM

EDITUM CONSILIO

UNIVERSITATIS CATHOLICAE AMERICAE

ET UNIVERSITATIS CATHOLICAE LOVANIENSIS

Vol. 410

SCRIPTORES AETHIOPICI

TOMUS 73

COMMENTAIRE ÉTHIOPIEN SUR LES BÉNÉDICTIONS DE MOÏSE ET DE JACOB

ÉDITÉ

PAR

ROBERT BEYLOT

LOUVAIN

Secrétariat du CorpusSCO

Waversebaan, 49

1979

ISBN 2 8017 0116 5

D/1979/0602/11

Imprimerie Orientaliste, s.p.r.l., Louvain (Belgique)

AVANT-PROPOS

Le commentaire éthiopien sur les *Bénédictions de Moïse et de Jacob* est conservé dans le manuscrit Éthiopien 64 de la Bibliothèque Nationale de Paris, daté du XVIᵉ siècle, écrit en pleine page de ca. 12 lignes.

Le folio 2r, en bas de page, porte la mention « Mareha-Engourana, abrégé d'astronomie rapporté de mon 3ᵉ voyage » et la signature de Rochet d'Héricourt. Ce voyage eut lieu de juin 1848 (date de son départ de Massawa pour Gondar) à juin 1849 (date de son retour à Massawa) [1]. H. Zotenberg, en décrivant le manuscrit dans son catalogue, p. 71 et 72, ne signale pas cette note. Il indique que ce recueil contient les textes suivants :

1. Le « Commentaire sur les bénédictions de Moïse et de Jacob », f. 2r-33r. S. Grébaut a publié la liste des femmes et des enfants des fils de Jacob qui le termine [2].

2. Le « Livre de la révolution des lumières du ciel », f. 34r-57r dont S. Grébaut a édité deux extraits relatifs aux levers de la lune [3] et à la variation des jours et des nuits [4].

3. Un traité relatif au calendrier et à la chronologie, f. 58r-76v. S. Grébaut en a aussi publié et traduit trois extraits : un texte sur les sept cieux et les sept cercles de la terre [5], une table de comput et

---

[1] Cf. G. MALÉCOT, *Les voyageurs français et les relations entre la France et l'Abyssinie de 1835 à 1870*, Paris, Société française d'histoire d'outre-mer, 1972, p. 77-78. On trouve dans l'ouvrage cité, p. 51-63 et 67-71, des informations détaillées sur Charles François Xavier Rochet, dit d'Héricourt et ses voyages en Éthiopie.

[2] S. GRÉBAUT, *Noms des femmes et des enfants des fils de Jacob*, dans *Revue de l'Orient Chrétien*, 2ᵉ série, t. VIII (XVIII), 1913, nᵒ 4, p. 417-419 : texte éthiopien, f. 32r-33r, p. 417-418; traduction française, p. 418-419.

[3] S. GRÉBAUT, *Table des levers de la lune pour chaque mois de l'année*, dans *Revue de l'Orient Chrétien*, 3ᵉ série, t. I (XXI), 1918-1919, nᵒ 4, p. 422-428, texte éthiopien, f. 40v-43r, p. 423-425; traduction française, p. 426-428.

[4] S. GRÉBAUT, *Variations de la durée des jours et des nuits pour chaque mois de l'année*, dans *Revue de l'Orient Chrétien*, 3ᵉ série, t. I (XXI), 1918-1919, nᵒ 4, p. 429-432, texte éthiopien, f. 37r-38r, p. 429-431; traduction française, p. 431-432.

[5] S. GRÉBAUT, *Les sept cieux et les sept cercles de la terre*, dans *Revue de l'Orient Chrétien*, 2ᵉ série, t. VIII (XVIII), 1913, nᵒ 2, p. 204-206, texte éthiopien, f. 76v-77r, p. 204-205; traduction française, p. 205-206.

de chronologie [6], et enfin un texte qu'il a intitulé « Les treize cycles » [7].

4. « Doctrine Chrétienne », f. 78r-94v, une sorte d'explication du symbole d'après le catalogue Zotenberg. En réalité ce document traite essentiellement de la Trinité. Il apparaît comme étant d'origine stéphanite.

5. Une liste abrégée des rois d'Éthiopie f. 98v-99v.

6. Ici et là sont insérées dans le manuscrit des notes relevant de la théologie ou de l'histoire sainte. S. Grébaut en a fait connaître trois. La première traite des tribus d'origine des Apôtres [8], elle se trouve sur les f. 94v et 95r du ms. Elle donne en abrégé les mêmes informations qu'un texte éthiopien beaucoup plus long traduit par E. A. W. Budge [9]. W. Wright signale sept mss. offrant un texte identique [10]. Tous contiennent les Actes apocryphes des Apôtres traduits par Budge dans l'ouvrage cité. C'est donc le même texte. Les deux premiers mss. l'attribuent à Denys, évêque d'Orient. Cela s'explique par le fait que dans les Actes apocryphes des Apôtres à la suite du document sur leurs tribus d'origine vient une longue épître de Denys l'Aréopagite à Timothée [11]. Les deux dernières notes théologiques, traduites seulement par Grébaut qui ne reproduit pas le texte éthiopien, traitent respectivement de l'Incarnation, f. 33v, et de la Trinité et de l'Incarnation, f. 100r [12].

---

[6] S. GRÉBAUT, *Table de comput et de chronologie*, dans *Revue de l'Orient Chrétien*, 3e série, t. I (XXI), 1918-1919, n° 3, p. 323-328, texte éthiopien, f. 58r-60v, p. 324-326; traduction française, p. 326-328.

[7] S. GRÉBAUT, *Les treize cycles*, dans *Revue de l'Orient Chrétien*, 3e série, t. I (XXI) 1918-1919, n° 3, p. 329-330, texte éthiopien, f. 60v-61r, p. 329; traduction française, p. 330.

[8] S. GRÉBAUT, *Les tribus d'origine des Apôtres*, dans *Revue de l'Orient Chrétien*, 2e série, t. VIII (XVIII) 1913, n° 2, p. 206-208, texte éthiopien, f. 94v-95r, p. 206-207; traduction française, p. 207-208.

[9] Cf. E. A. WALLIS BUDGE, *The Contendings of the Apostles*, v. II, Londres 1901, p. 49-50.

[10] W. WRIGHT, *Catalogue of the ethiopic manuscripts in the British Museum*, CI, n° 3 et p. 60, CII, n° 24 et p. 64, CIII, n° 22 et p. 65, CIV, n° 22 et p. 66, CV, n° 21 et p. 67, CVI, n° 22 et p. 68, CVII, n° 22 et p. 69.

[11] Cf. BUDGE, *op. cit.*, p. 51-69.

[12] S. GRÉBAUT, *Deux notes théologiques du ms. éthiopien n° 64 de Paris (Bibl. Nat.)*, dans *Aethiops*, juillet 1930, n° 3 et p. 46.

* ትርጓሜ ፡ ቃላት ፡ ዘባረኮሙ ፡ ሙሴ ፡ ለደቂቀ ፡ እስራኤል ። * f. 2r

1 ቃለ ፡ ኦሪት ፡ ወይቤ ፡ እግዚአብሔር ፡ እምነ ፡ ሲና ፡ መጽአ ፡ ትርጓሜ ፡ እግዚአብሔር ፡ እምነ ፡ ሲና ፡ መጽአ ፡ ይቤ ፡ ሙሴ ፡ ሄኖክኒ ፡ ይቤ ፡ ወይቀውም ፡ እገሪሁ ፡ ው[ስ]ተ ፡ ሲና ፡ ደብር ። ወዳዊት ፡ ይቤ ፡ እግዚአብሔር ፡ ውስቴቶሙ ፡ በሲና ፡ መቀደሱ ። ወዲቦ[ራ]ኒ ፡ ትቤ ፡ ዝንቱ ፡ ሲና ፡ እምቅድመ ፡ ገጹ ፡ ለእግዚአብሔር ። ሐዋርያትኒ ፡ ይቤሉ ፡ ሰብሕዎ ፡ ለእግዚአብሔር ፡ በደብረ ፡ ሲና ፡ [ቅ]ዱስ ። ርኢኬ ፡ ከመ ፡ ሲናሰ ፡ አ[ርያም][1] ፡ * ውእቱ ። * f. 2v

2 ቃለ ፡ ኦሪት ፡ ወአስተርአየኒ ፡ በሰይር ፡ ዘይቤ ፡ አስተርአየ ፡ በሥጋ ፡ ብሂል ፡ ወአዕረፈ ፡ በደብረ ፡ ፋራን ፡ ዘይቤ ፡ ማርያም ፡ ይእቲ ፡ በከመ ፡ ይቤ ፡ እንባቆም ፡ ወቅዱስኒ ፡ እምደብረ ፡ ፋራን ፡ ምስለ ፡ ኣእላፍ ፡ ቅዱሳን ፡ እለ ፡ እምየማኑ ፡ መላእክቲሁ ፡ እለ ፡ ምስሌሁ ፡ ዘይቤ ፡ አማን ፡ ሰብሕዎ ፡ በዕለተ ፡ ልደቱ ፡ በውስተ ፡ ጎል ፡ አእላፍ ፡ መላእክት ፡ እለ ፡ እምየማኑ ፡ ዘይቤ ፡ ሚካኤል ፡ ውእቱ ፡ በከመ ፡ ይቤ ፡ ሉቃስ ፡ ወንጌላዊ ፡ ወግብተ ፡ መጽኡ ፡ ምስለ ፡ ውእቱ ፡ መልአክ ፡ ብዙኃን ፡ ሐራ ፡ ሰማይ ፡ ይሴብሕዎ ፡ ለእ*ግዚአብ[ሔ]ር ። * f. 3r ውእቱ ፡ መልአክ ፡ ዘይቤ ፡ ገብርኤል ፡ ውእቱ ።

3 ቃለ ፡ ኦሪት ፡ ዘምስለ ፡ ትርጓሜ ፡ ወመሐኮ ፡ ለሕዝቡ ፡ ዘይቤ ፡ ውሉደ ፡ ሰብእ ፡ እሙንቱ ፡ ወለኩሉ ፡ እለ ፡ ተቀደሱ ፡ በእደዊሁ ፡ ዘይቤ ፡ ለእለ ፡ ተጠምቁ ፡ በስመ ፡ ወልዱ ፡ ብሂል ። ወእሉሂ ፡ እሊኦከ ፡ እሙንቱ ፡ ዘይቤ ፡ አሕዛብ ፡ እሙንቱ ፡ ወረከቡ ፡ ኀገ ፡ በቃለ ፡ ዚኦሁ ፡ ዘኦዘዘነ ፡ ዘይቤ ፡ በቃለ ፡ ወንጌል ፡ ዘኦዘዞሙ ፡ ለሐዋርያት ፡ ይስብኩ ። ወርስተ ፡ ለሕዝበ ፡ ያዕቆብ ፡ ዘይቤ ፡ በእንተ ፡ ዘኮነ ፡ ርስተ ፡ ልዑል ፡ ለአሕዛብ ፡ በከመ ፡ ይቤ ፡ ጳውሎስ ፡ ወረስያኒሁ ፡ ለእግዚአብሔር ፡ ንሕነ ።

4 ቃለ ፡ ኦሪት ፡ ወይከው *ን ፡ ማእከል ፡ እምውስተ ፡ ፍቁር ። ትርጓሜ ፡ * f. 3v

1 [1] La partie inférieure des trois dernières lettres est effacée.

ፍቁርሰ ፡ ወልደ ፡ እግዚአብሔር ፡ ውእቱ ፡ ወሶበ ፡ መጽአ ፡ ውስተ ፡
ዓለም ፡ ነበረ ፡ በነገ ፡ ኦሪት ፡ በከመ ፡ ይቤ ፡ ጳውሎስ ፡ ወገብረ ፡ በ
ነገ ፡ ኦሪት ፡ ከመ ፡ ይሣየጦሙ ፡ ለእለ ፡ ውስተ ፡ ኦሪት ፡ ወእምድኅረ ፡
ጥምቀቱኒ ፡ እስከ ፡ ሰርከ ፡ ሐሙስ ፡ ይምህር ፡ ወንጌለ ፡ በአፉሁ ፡ ወ
ይገብር ፡ ኦሪተ ፡ በምግባሩ ፡ ርኢከ ፡ ከመ ፡ ማእከል ፡ ውእቱ ፡ ልደ
ትሰ ፡ ዘእንበለ ፡ ዘርአ ፡ ብእሲ ፡ አልቦ ፡ ካልአ ፡ ዘእንበሌሁ ። ወእንተ ፡
ሊተርኅወትኒ ፡ ድንግልናሃ ፡ በወሊድ ፡ አልቦ ፡ ካልአ ፡ ዘእ[ን]በለ ፡
* f. 4r እሙ ፡ ወሶበ ፡ ተገዝረ ፡ አመ ፡ ሳምንት ፡ ፈጸማ ፡ ለግዝ*ረቶሙ ፡ ወወ
ጠና ፡ ለግዝረትነ ። ወሶበ ፡ ተጠምቀ ፡ በ፴ክረምት ፡ ፈጸመ ፡ ጥምቀቶሙ ።
ወወጠነ ፡ ጥምቀትነ ። ወሶበ ፡ ጾመ ፡ ፵መዐልተ ፡ ወ፵ሌሊተ ፡ በከመ ፡
ጾሙ ፡ ሙሴ ፡ ወኤልያስ ፡ ፈጸማ ፡ ለጾሞሙ ፡ ወወጠና ፡ ለጾምነ ። ወገ
ብረ ፡ ክልኤተ ፡ መሥዋዕተ ፡ በአሐቲ ፡ ምሴተ ፡ ሐሙስ ፡ በአሐቲ ፡
ፈጸማ ፡ ለመስዋዕተ ፡ ኦሪት ። ወበአሐቲ ፡ ወጠና ፡ ለመስዋዕተ ፡ ወን
ጌል ። ወበእንተዝ ፡ ይቤ ፡ ሙሴ ፡ ወይከውን ፡ ማእከል ፡ እምው[ስ]ተ ፡
ፍቁር ።

5 ቃለ ፡ ኦሪት ፡ ታጋቢኦሙ ፡ መላእ[ክ]ተ ፡ አሕዛብ ፡ ምስለ ፡ ነገደ ፡
* f. 4v እስራኤል ። * ትርጓሜ ፡ ሕቡረ ፡ ሐዋርያት ፡ ምስለ ፡ መሃይምናን ።

6 ቃለ ፡ ኦሪት ፡ አኀሥሣ ፡ ለሮቤል ፡ ወኢይሙተኒ ። ትርጓሜ ፡ ኀሠሣ ፡
ለአዳም ፡ ወአድኅኖ ፡ ምስለ ፡ ብዙኃን ፡ ደቂቁ ፡ ዓዲ ፡ ይትረጐም ፡
ኀሠሣ ፡ ለጴጥሮስ ፡ ወሰረየ ፡ ሎቱ ፡ ክሕደቶ ፡ ወኮነ ፡ አቡሆሙ ፡ ለብ
ዙኃን ፡ መሃይምናን ።

7 ቃለ ፡ ኦሪት ፡ ወባቲኒ ፡ ለይሁዳ ፡ ስምዖ ፡ እግዚኦ ፡ ቃሎ ፡ ለይ
ሁዳ ፡ ወይግባእ ፡ ውስተ ፡ ሕዝቡ ፡ ወእደዊሁ ፡ ይኬንናሁ ፡ ወይኩኖ ፡
ረዳኤ ፡ እምነ ፡ ጸሩ ። ትርጓሜ ፡ ይሁዳ ፡ ይትረጐም ፡ በእግዚእነ ። ወስ
* f. 5r ምዐተ ፡ ቃሉኒ ፡ ዘይቤ ፡ በ*ከመ ፡ ጽሑፍ ፡ በወንጌል ፡ ዘይብል ፡ አአ
ምር ፡ ከመሰ ፡ ተሰምዓኒ ፡ ወግብአቱኒ ፡ ውስተ ፡ ሕዝቡ ፡ ምጽአቱ ፡
ውስተ ፡ ዓለም ፡ በእንተ ፡ ውሉደ ፡ ሰብእ ፡ እደዊሁ ፡ ይኬንናሁ ፡ ዘ
ይቤ ፡ በከመ ፡ ጽሑፍ ፡ በዳዊት ፡ ዘይብል ፡ ውእቱ ፡ ይኬንና ፡ ለዓ
ለም ፡ በጽድቀ ፡ ወይኬንኖሙ ፡ ለአሕዛብ ፡ በርትዕ ። ወወንጌልኒ ፡ ይቤ ፡

ኵሉ ፡ ኵነኔሁ ፡ አወፈዮ ፡ ለወልዱ ፡ እምነ ፡ ጸሩ ፡ ዘይቤ ፡ በእንተ ፡ ሕዝቡ ፡ አይሁድ ፡ ጸሩ ።

8 ቃለ ፡ ኦሪት ። ወለሌዊኒ ፡ ይቤሎ ፡ አግብኦ ፡ ለሌዊ ፡ ቃሎ ፡ ወጽድቀ ። ትርጓሜ ፡ ሌዊ ፡ ይትሜሰ*ል ፡ በወልድ ፡ ወኵሉ ፡ ቃለ ፡ ጽድቅ ፡ * f. 5v ወስብሐተ ፡ ሎቱ ፡ ይደሉ ፡ አግብኦ ፡ ወአዕርገ ፡ ለብእሴ ፡ ጸድቅ [1] ፡ ዘአመከርዎ ፡ መከራ ፡ ወጸአልዎ ፡ በነበ ፡ ማየ ፡ ቀስተ ፡ ዘይቤ ፡ ዘፀረፉ ፡ ላዕሌሁ ፡ ሕዝበ ፡ አይሁድ ፡ ወኰነንዎ ፡ በሞት ፡ ዘይቤሎ ፡ ለአቡሁ ፡ ወለእሙ ፡ ኢርኢኩክ ፡ ዘይቤ ፡ ትመስል ፡ ቃል ፡ ዘውስተ ፡ ወንጌል ፡ ዘይቤ ፡ እለ ፡ መኑ ፡ እሙንቱ ፡ እምየ ፡ ወአኃዊየ ። ወአኃዊሁኒ ፡ ኢያእመረ ፡ ወበደቂቁኒ [2] ፡ ኢለበወ ፡ ዘይቤ ፡ በእንተ ፡ ዘኢተምህረ ፡ እግዚእነ ፡ ጥበበ ፡ ወአእምሮ ። ኢእም ፡ ዘመዱ ፡ ኢእም ፡ አኃዊሁ ፡ * ወዐቀበ ፡ * f. 6r ቃልከ ፡ ወተማኅፀነ ፡ ኪዳንከ ፡ በከመ ፡ ጽሑፍ ፡ በወንጌል ፡ በከመ ፡ አነ ፡ ዐቀብኩ ፡ ኵሎ ፡ ትእዛዘ ፡ ለአቡየ ፡ ከመ ፡ ይንግር ፡ ኵነኔከ ፡ ለያዕቆብ ፡ ወኅግከ ፡ ለእስራኤል ፡ ዘይቤ ፡ በእንተ ፡ ዘመሀሮሙ ፡ ወንጌል ፡ ለሕዝብ ። ወከመ ፡ ይደዩ ፡ ዕጣነ ፡ ለማዕጠንትከ ፡ ወበኵሉ ፡ ጊዜ ፡ ውስተ ፡ ምስዋዒከ ፡ ዘይቤ ፡ በእንተ ፡ ክህነቱ ፡ ለእግዚእነ ፡ ያርኢ ፡ ወባርክ ፡ እግዚኦ ፡ ኀይሎ ፡ ወተወከፍ ፡ ግብረ ፡ እደዊሁ ፡ ዘይቤ ፡ በእንተ ፡ በረከቶሙ ፡ ወተወክፎቶሙ ፡ ለመሃይምናን ፡ ያርኢ ። ወአውርድ ፡ ክቡደ ፡ እለ ፡ ይትቃወ*ምዎ ፡ ፀሩ ፡ ወኢታንሥኦሙ ፡ ለእለ ፡ ይፀል * f. 6v እዎ ፡ ዘይቤ ፡ በእንተ ፡ መርገሞሙ ፡ ወግዘቶሙ ፡ ለዓላዊ[ያ]ን ፡ ይነግር ።

9 ቃለ ፡ ኦሪት ፡ ወለብንያም ፡ ኒ ፡ ይቤሎ ፡ ፍቁረ ፡ እግዚአብሔር ፡ የሐድር ፡ ተአሚኖ ፡ ወእግዚአብሔር ፡ ይጼልሎ ፡ በኵሉ ፡ መዋዕሊሁ ፡ ትርጓሜ ፡ ብንያምሰ ፡ ፍቁረ ፡ እግዚአብሔር ፡ ይተረጐም ፡ በወልድ ፡ ወተአምኖቱኒ ፡ ብሂል ፡ አልቦ ፡ ዘይጌርሞ ፡ ብሂል ፡ ወዘይጼልሎ ፡ በኵሉ ፡ መዋዕል ፡ ዘይቤ ፡ ኢይትፈለጥ ። አብ ፡ እምወልዱ ፡ ብሂል ፡ በከመ ፡ በወንጌል ፡ እስመ ፡ ኢይነድገኒ ፡ አብ ፡ ባሕቲትየ ፡ እስመ ፡ አብ ፡ ምስሌየ ፡ ውእ*ቱ ፡ ወያዐርፍ ፡ ማእከለ ፡ መታክፊሁ ፡ * f. 7r ዘይቤ ፡ መንፈስ ፡ ቅዱስ ፡ ዘነበረ ፡ ላዕለ ፡ ኢየሱስ ፡ በዮርዳኖስ ።

8 [1] Leg. ጽድቅ [2] Leg. ወለደቂቁ

10 ቃለ ፡ ኦሪት ፡ ወለዮሴፍኒ ፡ ይቤሎ ፡ እምነ ፡ በረከተ ፡ እግዚአ
ብሔር ፡ ምድሩ ። ትርጓሜ ፡ እምነ ፡ ቡርክት ፡ ማርያም ፡ ሥጋሁ ፡ በከ
መ ፡ ይቤ ፡ በመጽሐፈ ፡ ኪዳን ፡ መ ኑ ፡ ውእቱ ፡ ዝንቱ ፡ ዘምድር ፡ ለብ
ሰ ፡ ወእምነ ፡ ዝናመ ፡ ሰማይ ፡ ወጠል ፡ ዘይቤ ፡ ርደተ ፡ መለኮት ፡
ቃል ፡ ይነግር ፡ በከመ ፡ ይቤ ፡ ለሊሁ ፡ ሙሴ ፡ ወይወርድ ፡ ከመ ፡
ጠል ፡ ነቢብየ ። ወከመ ፡ ዝናም ፡ ውስተ ፡ ገራህት ። ወዳዊትኒ ፡ ይቤ ፡
* f. 7v ወይወ*ርድ ፡ ከመ ፡ ጠል ፡ ውስተ ፡ ፀምር ፡ ወከመ ፡ ነጠብጣብ ፡ ዘያ
ንጠበጥብ ፡ ዲበ ፡ ምድር ። ወእምነ ፡ ነቀዐ ፡ ቀላይ ፡ ዘእምታሕቱ ፡ ዘ
ይቤ ፡ ነቅዕሰ ፡ ቅድስት ፡ ማርያም ፡ ይእቲ ። ወቀላይ ፡ ዘይቤ ፡ ዓለም ፡
ውእቱ ። ወመትሕቱኒ ፡ ይብል ፡ በከመ ፡ ይቤ ፡ ዘካርያስ ፡ ወይሠርቅ ፡
በመትሕቱ ። ወለለ ፡ ሠዐቱ ፡ እክሉ ፡ ዘይቤ ፡ ለለ ፡ ዕለቱ ፡ ሥጋሁ ፡ ወ
ደሙ ። ወእምነ ፡ ሠርቀ ፡ ፀሐይ ፡ ዘይቤ ፡ ሠርቀሰ ፡ ማርያም ፡ ይ
* f. 8r እቲ ። ወፀሐይኒ ፡ ክርስቶስ ፡ ውእቱ ፡ ብርሃንነ ፡ ወእም*ነ ፡ ኍላቌሆሙ ፡
ለአውራኅ ፡ ዘይቤ ፡ እስመ ፡ ለአውራኅ ፡ ፲ወ፪ኖልቁ ። ወከማሁ ፡ ለሐዋር
ያትኒ ፡ ፲ወ፪ኖልቀሙ ፡ ወበስብከተሙ ፡ ኮነ ፡ መድኀኒትነ ።

11 ቃለ ፡ ኦሪት ፡ ወይቀድም ፡ ውስተ ፡ አርእስተ ፡ አድባር ። ወእ
ምነ ፡ አርእስተ ፡ አውግር ፡ ዘአሌናዎን ። ትርጓሜ ፡ አድባርሰ ፡ ነቢያት ፡
እሙንቱ ፡ ወቦሙ ፡ ተነግረ ፡ ቀዳሚ ፡ ወአውግርኒ ፡ ሐዋርያት ፡ ወቦሙ ፡
ተለበወ ፡ ምጽአቶ ፡ ለክርስቶስ ፡ በደኀሪ ፡ ወአሌናዎን ፡ ሂ ፡ ስመ ፡ እግ
* f. 8v ዚአብሔር ፡ ውእቱ ፡ ወመዝ*ራዕቱኒ ፡ ይተረጐም ፡ በወልዱ ፡ በከመ ፡ ጽ
ሑፍ ፡ በመጽሐፈ ፡ ኪዳን ፡ እደ ፡ መዝራዕቱ ፡ ለአብ ፡ ከዊኖ ።

12 ቃለ ፡ ኦሪት ፡ ምድር ፡ እንተ ፡ ዘልፈ ፡ ሠናይት ፡ ወጽግብት ፡ ዘ
ይቤ ፡ ቅድስት ፡ ቤተ ፡ ክርስቲያን ፡ ለዘ ፡ አስተርአየ ፡ በውስተ ፡ ዕ
ፀት ፡ ዘጳጦስ ፡ ዘይቤ ፡ ለዘ ፡ ተወልደ ፡ እምቅድስት ፡ ማርያም ፡
ብሂል ።

13 ቃለ ፡ ኦሪት ፡ ለይምጻእ ፡ ዲበ ፡ ርእሱ ፡ ለዮሴፍ ፡ ወዲበ ፡ ርእ
ሶሙ ፡ ለእለ ፡ ኮንዎ ፡ አኃዊሁ ። ትርጓሜ ፡ ዮሴፍ ፡ ይተረጐም ፡ በወ
* f. 9r ልድ ፡ ወርእሱኒ ፡ እግዚአብሔር ፡ አብ ። በከመ ፡ ይቤ ፡ ጳውሎ*ስ ፡
ወርእሱ ፡ ለክርስቶስ ፡ እግዚአብሔር ፡ ወርእሶሙኒ ፡ ለመሃይምናን ፡ ክ

ርስቶስ ፡ ውእቱ ። በከመ ፡ ይቤ ፡ በዲድስቅልያ ፡ ርእሶሙ ፡ ለመሃይምናን ፡ ክርስቶስ ።

14 ቃለ ፡ ኦሪት ፡ ዘምስለ ፡ ትርጓሜ ። ከመ ፡ በኵረ ፡ ላህም ፡ ስኖ ፡ ዘይቤ ፡ ከመ ፡ ደቂቀ ፡ አዳም ፡ አርአያ ፡ ትስብእቱ ፡ ብሂል ። ወአቀርንት ፡ ዘ፩ቀርኑ ፡ አቀርንቲሁ ፡ ብሁተ ፡ መንግሥት ፡ ብሂል ። ወይወግኦሙ ፡ ለአሕዛብ ፡ ቦሙ ፡ እስከ ፡ አጽናፈ ፡ ምድር ፡ ዘይቀንዮሙ ፡ በመንግሥቱ ፡ ለኵሉ ፡ አሕዛበ ፡ ምድር ። በዝንቱ ፡ አእላፍ ፡ ዘኤፍሬም ፡ ዘእለ ፡ አምኑ ፡ እምአሕዛ*ብ ፡ ወዝንቱ ፡ አእላፍ ፡ ዘምናሴ ፡ ዘእለ ፡ አምኑ ፡ እም * f. 9v እስራኤል ።

15 ቃለ ፡ ኦሪት ፡ ወለዛብሎንሂ ፡ ይቤሎ ፡ ተፈሣሕ ፡ ዛብሎስ [1] ፡ በፀአትከ ፡ ወይሰኮር ፡ በመኃድሪከ ። ትርጓሜ ፡ ዛብሎን ፡ ይተረጐም ፡ በወልድ ። ወፀአቱ ፡ ዘይቤ ፡ ምጽአቱ ፡ ውስተ ፡ ዓለም ። ወይሰኮር ፡ ይተረጐም ፡ በመንፈስ ፡ ቅዱስ ፧ ወመኃድሪሁኒ ፡ ይተረጐም ፡ በሐዋርያት ፡ ወነቢያት ፡ ወኵሎሙ ፡ ቅዱሳን ፡ እለ ፡ ያጠፍእዎሙ ፡ ለአሕዛብ ፡ ዘበእንተ ፡ አጋንንት ፡ ወአማልክተ ፡ አሕዛብ ።

16 ቃለ ፡ ኦሪት ፡ ወጸው[ዐ] ፡ በህየ ፡ ወሦዑ ፡ መሥዋዕተ ፡ ጽድቀ ፡ ትርጓ*ሜ ፡ እለ ፡ ተጸውዑ ፡ ውስተ ፡ አሚን ፡ ሡዑ ፡ መሥዋ * f. 10r ዕተ ፡ ጽድቀ ፡ ዝውእቱ ፡ ሥጋሁ ፡ ወደሙ ፡ ለክርስቶስ ።

17 ቃለ ፡ ኦሪት ፡ ዘምስለ ፡ ትርጓሜ ፡ እስመ ፡ ብዕለ ፡ ባሕር ፡ የኀፅነከ ፡ ዘይቤ ፡ ባሕርሰ ፡ ጥምቀት ፡ ወብዕላኒ ፡ ኀዲስ ፡ ኅግ ፡ ወንዋዮሙ ፡ ለእለ ፡ ይነብሩ ፡ ጰራልያ ፡ ወጰራልያሰ ፡ ምድረ ፡ እስራኤል ፡ ወንዋዮሙኒ ፡ ኦሪት ፡ ወነቢያት ።

18 ቃለ ፡ ኦሪት ፡ ወለጋድ ፡ ይቤሎ ፡ ርኂብ ፡ በረከቱ ፡ ለጋድ ። ትርጓሜ ፡ ጋድ ፡ ይተረጐም ፡ በወልድ ፡ ወበረከቱ ፡ ኒ ፡ ርኅበት ፡ *አ * f. 10v ሚን ፡ ወጥምቀት ፡ በከመ ፡ ይቤ ፡ ዳዊት ፡ ወትእዛዝከሰ ፡ ርኂብ ፡ ፋድፋደ ፡ ዮሐንስ ፡ ወንጌላዊ ። ተረጐመ ፡ ወይቤ ፡ ወዛቲ ፡ ይእቲ ፡ ትእዛዝ ፡ ከመ ፡ ንእመን ፡ በወልዱ ፡ ኢየሱስ ፡ ክርስቶስ ።

19 ቃለ ፡ ኦሪት ፡ ዘምስለ ፡ ትርጓሜ ፡ ከመ ፡ አንበሳ ፡ ቀጥቂጦ ፡

15 [1] Sic.

መዝራዕተ ፡ መላእክት ፡ ዘይቤ ፡ በእንተ ፡ ዘቀጥቀጠ ፡ አርእስቲሆሙ ፡ ለአጋንንት ፡ ወሠዐረ ፡ ክህነቶሙ ፡ ለቤተ ፡ ሌዊ ፡ ወርእየ ፡ ቀድሜሁ ፡ ክመ ፡ በህየ ፡ ተካፈልዋ ፡ ለምድር ፡ መላእክት ፡ እንዘ ፡ ጉቡኣን ፡ መ * f. 11r ሳ*ፍንት ፡ ኅቡረ ፡ ምስለ ፡ መላእክተ ፡ ሕዝብ ፡ ዘይቤ ፡ በእንተ ፡ ዘተካፈልዋ ፡ ለዓለም ። ከመ ፡ ይስብኩ ፡ ባቲ ፡ ፲ወ፪ ፡ ሐዋርያት ፡ ወ፸አርድእት ፡ ወምስለ ፡ ሕዝበ ፡ እስራኤል ፡ ወእግዚአብሔር ፡ ገብረ ፡ ኩነኔ ፡ ወጽድቀ ፡ ለእስራኤል ፡ ዘይቤ ፡ እግዚአብሔር ፡ ወሀበ ፡ ኅገ ፡ ወሥርዐተ ፡ ለመሃይምናን ፡ ብሂል ።

20 ቃለ ፡ ኦሪት ፡ ወለዳንሂ ፡ ይቤሎ ፡ ዳን ፡ እጓለ ፡ አንበሳ ፡ ወይሰርር ፡ እምባሳን ። ትርጓሜ ፡ ዳን ፡ ይተረጎም ፡ በወልድ ፡ ወአንበሳ ፡ በ * f. 11v አብ ፡ ወስረቱ ፡ ይ*ተረጐም ፡ ባሳን ፡ አንስስዎቱ ፡ በኢየሩሳሌም ።

21 ቃለ ፡ ኦሪት ፡ ወለንፍታሌም ፡ ኒ ፡ ይቤሎ ፡ ንፍታሌም ፡ ጽጉብ ፡ እምሠናይት ፡ ወይጸግብ ፡ እምበረከተ ፡ እግዚአብሔር ፡ ወይትዋረስ ፡ ባሕረ ፡ ወሊባ ። ትርጓሜ ፡ ንፍታሌም ፡ ይትሜሰል ፡ በወልድ ፡ ወጽጉብ ፡ እምኵሉ ፡ ሠናይት ፡ ወውእቱ ፡ ይወርሶሙ ፡ ለእስራኤል ፡ ወለአሕዛብ ፡ እለ ፡ አምኑ ፡ ቦቱ ።

22 ቃለ ፡ ኦሪት ፡ ወለአሴርሂ ፡ ይቤሎ ፡ ቡሩክ ፡ ውእቱ ፡ እምነ ፡ ው * f. 12r ሉድ ፡ አሴር ። ወይከውን ፡ ኅሩየ ፡ ለ*አኃዊሁ ። ይተረጐም ፡ አሴር ፡ በወልድ ፡ ወቡሩክ ፡ እመሃይምናን ። ወሕሩይ ፡ እምአእላፍ ።

23 ቃለ ፡ ኦሪት ፡ ወየሐጽብ ፡ በቀብእ ፡ እገሪሁ ። መተርጉም ፡ እገሪ[ሁ]ሰ ፡ ሐዋርያት ፡ ወቀብእኒ ፡ ጥምቀት ። ወሐፀቦሙ ፡ በሰርከ ፡ ሐሙስ ፡ ወዘንቢን ፡ ወዘብርት ፡ አሣእኒሁ ፡ ዘይቤ ፡ ዘኦሪት ፡ ወዘወንጌል ፡ ትእዛዛቲሁ ። ወዓዲ ፡ ይተረጐም ፡ በቀንዋተ ፡ እደዊሁ ፡ ወእገሪሁ ፡ ወይኩን ፡ በከመ ፡ መዋዕሊከ ፡ ኃይልከ ፡ ዘይቤ ፡ አልቦቱ ፡ ጥንተ ፡ * f. 12v ለ*መዋዕሊከ ፡ ወኢእብሬተ ፡ ለመንግሥትከ ። አልቦ ፡ ከመ ፡ አምላኩ ፡ ለፍቁር ፡ ዘይነብር ፡ ውስተ ፡ ሰማይ ። ወውእቱ ፡ ረዳኢከ ፡ ዘይቤ ፡ አልቦ ፡ ካልአ ፡ ከመ ፡ አቡሁ ፡ ለእግዚአብሔር ፡ ዘይነብር ፡ ውስተ ፡ ሰማይ ። ወውእቱ ፡ ረዳኢነ ፡ ብሂል ።

24 ቃለ ፡ ኦሪት ፡ ወዕበየ ፡ ስኑ ፡ ለሰማይ ፡ ወይከድነከ ፡ እግዚአብ

ነት ፡ ወመንግሥት ፡ ወትንቢት ፡ እምኵራብ ፡ ወበእንተዝ ፡ ረገሞሙ ፡ እስመ ፡ ኢገገጹ ፡ በቊጥዓሆሙ ፡ እክፍሎሙ ፡ ውስተ ፡ ያዕቆብ ። ወእዝርዎሙ ፡ ውስተ ፡ ርስተ ፡ እስራኤል ፡ ዘይቤ ፡ ወዘንተኒ ፡ ነገረ ፡ በእንተ ፡ ዝርወቶሙ ፡ ለሕዝበ ፡ አይሁድ ፡ ውስተ ፡ ኵሉ ፡ አሕዛበ ፡ ምድር ።

36 ቃለ ፡ ኦ[ሪት ፡] ይሁዳ ፡ ሰብሑከ ፡ አኃዊከ ፡ እደዊከ ፡ ላዕለ ፡ ዘባናሙ ፡ ለጸላእትከ ፡ ይሰግዱ ፡ ለከ ፡ ደቂቀ ፡ አቡከ ፡ ትርጓ[ሜ ፡] ይሁዳ ፡ ይተ*ረጐም ፡ በእግዚእነ ፡ በከመ ፡ ጽሑፍ ፡ ውስተ ፡ መጻሕ * f. 21v ፍት ፡ በብዙኅ ፡ ገጽ ፡ ከመ ፡ ክርስቶስ ፡ ይመጽእ ፡ እምቤተ ፡ ይሁዳ ፡ ወበወንጌልኒ ፡ ይቤ ፡ እስመ ፡ መድኀኒት ፡ እምይሁዳ ፡ ውእቱ ፡ እደዊከ ፡ ላዕለ ፡ ዘባናሙ ፡ ለጸላእትከ ፡ ጸላእቱሰ ፡ መልአከ ፡ ሞት ፡ ወሰይጣን ። እስመ ፡ ለወልደ ፡ መበለት ፡ ሶበ ፡ አኀዘ ፡ ነፍቀ ፡ በእደዊሁ ፡ ሞኦ ፡ ለሞት ፡ ወበእንተ ፡ ሰይጣን ፡ ይብል ፡ ወእመሰ ፡ አነ ፡ በአጽባእተ ፡ እግዚአብሔር ፡ አወፅኦሙ ፡ ለአጋንንት ። ሰብሑ*ከ ፡ አ * f. 22r ኃዊከ ፡ ይሰግዱ ፡ ለከ ፡ ደቂቀ ፡ አቡከ ፡ ዘይቤ ፡ ሐዋርያት ፡ ወመሃይምናን ፡ እሙንቱ ።

37 ቃለ ፡ ኦሪት ፡ ይሁዳ ፡ እጓለ ፡ አንበሳ ፡ እምሕዛእትከ ፡ ዕርገ ። ትርጓሜ ፡ ይሁዳ ፡ እጓለ ፡ አንበሳ ፡ ሶበ ፡ ይብል ፡ በእንተ ፡ ክርስቶስ ፡ ወልደ ፡ እግዚአብሔር ። ወሕዛእቱኒ ፡ ማርያም ፡ ይእቲ ። ወልደቱ ፡ እምኔሃ ፡ ይነግር ።

38 ቃለ ፡ ኦሪት ፡ ወልድየ ፡ ሰከብከ ፡ ወኖምከ ፡ ከመ ፡ አንበሳ ። ወከመ ፡ እጓለ ፡ አንበሳ ፡ ወአልቦ ፡ ዘያነቅሀከ ። ትርጓሜ ፡ ህላዌከ ፡ ከመ ፡ እግዚአብሔር ፡ ወልደ ፡ * እግዚአብሔር ፡ አልቦ ፡ ዘያነቅሀከ ፡ * f. 22v ሶበ ፡ ይብል ፡ አልቦ ፡ ዘይጌርመከ ፡ ወያደነግፀከ ፡ ወዘያነቅሆ ፡ ለልብከ ፡ በፍርሃት ። ካልእ ፡ ትርጓሜ ፡ ሰከብከ ፡ ወኖምከ ፡ ዘይቤ ፡ ሐመምከ ፡ ወሞትከ ፡ ከመ ፡ አዳም ፡ ወከመ ፡ ደቂቀ ፡ አዳም ፡ አልቦ ፡ ዘአንሠአከ ፡ ከመ ፡ እለ ፡ አንሥእዎሙ ፡ ኤልያስ ፡ ወኤልሳዕ ። አላ ፡ ተንሣእከ ፡ በፈቃድከ ፡ በከመ ፡ ትቤ ፡ በወንጌል ፡ ለልየ ፡ እሚጥዋ ፡ በፈቃድየ ፡ ወለልየ ፡ ኣነሥኣ ።

* f. 23r **39** ቃለ ፡ ኦሪት ፡ ኢይጠፍእ ፡ ምስፍና ፡ እምይሁዳ ፡ ወም*ልክና ፡ እምአባሉ ፡ እስከ ፡ አመ ፡ ይረክብ ፡ ዘጽኑሕ ፡ ሎቱ ፡ ወውእቱ ፡ ተስፋሆሙ ፡ ለአሕዛብ ። ትርጓሜ ፡ ኢይምሰልከ ፡ በእንተ ፡ መንግሥት ፡ ዘበ ፡ ምድር ፡ እስመ ፡ እምአመ ፡ ተዪወወ ፡ ሰዴቀያስ ፡ ወልደ ፡ ኢዮስያስ ፡ እስከ ፡ ምጽአተ ፡ ክርስቶስ ፡ ኢሰማዕነ ፡ ዘነግሠ ፡ እምቤተ ፡ ይሁዳ ፡ እስመ ፡ ሄሮድስኒ ፡ እምነ ፡ አሕዛብ ፡ ውእቱ ። በከመ ፡ ነገረ ፡ ያዕቀብ ፡ ንጽቢን ፡ በድርሳኑ ። ወጲለጦስኒ ፡ ሮማዊ ፡ ውእቱ ፡ በከመ ፡ ነገረ ፡ ዲድስቀልያ ፡ አላ ፡ ዳእቱ[1] ፡ በእንተ ፡ ክርስቶስ ፡ ወአባሉኒ ፡ መ * f. 23v ሃይምናን ። በከመ ፡ ይ*ቤ ፡ ጳውሎስ ፡ አንትሙ ፡ ሥጋሁ ፡ ለክርስቶስ ፡ ወአባሉ ። ወካዕበ ፡ ይቤ ፡ እስመ ፡ አባለ ፡ ሥጋሁ ፡ ንሕነ ። ወደገመ ፡ ወይቤ ፡ እምድኅረ ፡ ነሣእክሙ ፡ አባሉ ፡ ለክርስቶስ ፡ እሬስዮኑ ፡ አባለ ፡ ዘማ ፡ ኅሰ ። ኢይጠፍእ ፡ ምልክና ፡ እቤ ፡ በእንተ ፡ ስዩማን ። ዘኢይጠፍኡ ፡ እምቤተ ፡ ክርስቲያን ፡ እስከ ፡ አመ ፡ ይረክብ ፡ ዘጽኑሕ ፡ ሎቱ ። ወውእቱ ፡ ተስፋሆሙ ፡ ለአሕዛብ ፡ ውእቱ ፡ ዳግም ፡ ምጽአቱ ፡ በከመ ፡ ይቤ ፡ ጳውሎስ ፡ እስመ ፡ ተስፋሁ ፡ ለዓለም ፡ ምጽአቱ ፡ ለወልደ ፡ እግዚአብሔር ፡ ይጸንሕ ።

* f. 24r **40** ቃ*ለ ፡ ኦሪት ፡ የአስር ፡ ውስተ ፡ ዓጸደ ፡ ወይን ፡ ዕዋሎ ። ወበዕፀ ፡ ዘይት ፡ አድኅ ። ትርጓሜ ፡ በከመ ፡ ይቤ ፡ ወንጌል ፡ አመ ፡ ሖደ ፡ ሆሳዕና ፡ ወትረክቡ ፡ እድግተ ፡ እስርተ ፡ ወዕዋላ ፡ ምስሌሃ ፡ ፍትሕዎ ፡ ወአምጽእዎ ፡ ሊተ ። ወቦ ፡ እለ ፡ ይብሉ ፡ በእንተ ፡ ትስብ[እ]ቱ ፡ ወበእንተ ፡ ስቅለተ ፡ ሥጋሁ ፡ ለእግዚእነ ።

41 ቃለ ፡ ኦሪት ፡ ያሐጽብ ፡ በወይን ፡ አልባሲሁ ። ወበደመ ፡ አስካል ፡ ስንዱና ። ትርጓሜ ፡ አልባሲሁ ፡ ወስንዱና ፡ እለ ፡ ሐጹባን ፡ በደመ ፡ አስካል ፡ መሃይምናን ፡ እሙንቱ ፡ በከመ ፡ ይቤ ፡ አቡቀለምስስ ፡ * f. 24v ወው*እቱ ፡ ዘአፍቀረክሙ ፡ ወሐፀበክሙ ፡ እምኃጠውኢክሙ ፡ በደሙ ። ወበእንተ ፡ ሰማዕት ፡ ይብል ፡ እሉ ፡ እለ ፡ መጽኡ ፡ እምዐቢይ ፡ ሐማም[1] ። ወሐጸቡ ፡ አልባሲሆሙ ፡ ወአንጽሑ ፡ በደመ ፡ ኀግ ።

39 [1] Leg. ዳእሙ

41 [1] Leg. ሐማም

42 ቃለ ፡ ኦሪት ፡ ዘምስለ ፡ ትርጓሜ ፡ ፍሡሐት ፡ እምወይን ፡ አዕይንቲሁ ፡ ዘይቤ ፡ ሐዋርያት ፡ እሙንቱ ። በከመ ፡ ይቤ ፡ ሕዝቅኤል ፡ ወልደ ፡ እጓለ ፡ እመሕያው ። ሰብአ ፡ ዓይን ፡ ረሰይኩክ ። ወሰሎሞንኒ ፡ ይቤ ፡ አዕይንቲኪ ፡ ዘርግብ ፡ ርግብሰ ፡ መንፈስ ፡ ቅዱስ ፡ ወአዕይንቲሁኒ ፡ ሐዋርያት ፡ እለ ፡ መ*ንፈስ ፡ ቅዱስ ፡ እሙንቱ ። ወጸዓዳ ፡ * f. 25r ከመ ፡ ኀሊብ ፡ ስነኒሁ ፡ ሐሊብሰ ፡ ትምህርተ ፡ ወንጌል ፡ ውእቱ ። ወአስናኒሁኒ ፡ ውሉደ ፡ ጥምቀት ፡ እሙንቱ ። በከመ ፡ ይቤ ፡ ሰሎሞን ፡ ስነኒኪ ፡ ከመ ፡ መራዕየ ፡ እለ ፡ ተቀርጸ ። አስናን ፡ ብሂል ፡ ተስናን ፡ ወተስናን ፡ ብሂል ። በዕብራዊያን ፡ ቤተ ፡ ክርሲቲያን ፡ ብሂል ። ወቤተ ፡ ክርስቲያን ፡ ብሂል ፡ ነፍሶሙ ፡ ለክርስቲያን ፡ ብሂል ።

43 ቃለ ፡ ኦሪት ፡ ዛብሎን ፡ ስሑና ፡ የሐድር ፡ ከመ ፡ መርሶ ፡ አሕማር ፡ ወይሰፍን ፡ እስከ ፡ ሲዶና ። ትርጓሜ ፡ ዛብሎን ፡ ይተረጐም ፡ በ*ወልድ ፡ ወአሳእኑ ፡ ትምህርተ ፡ ወንጌል ፡ ሐመርኒ ፡ ቅድስት ፡ ቤ * f. 25v ተ ፡ ክርስቲያን ። ወመርሶኒ ፡ ሃይማኖት ፡ በከመ ፡ ይቤሉ ፡ ሐዋርያት ፡ በሲኖዶሶሙ ። ከመ ፡ የሐድሩ ፡ ቅድስት ፡ ቤተ ፡ ክርስቲያን ። ውስተ ፡ ዛኀነ ። መርሶ ፡ ወስፍሐቱኒ ፡ እስከ ፡ ሲዶና ፡ ዘሰፍሐ ፡ ለትምህርተ ፡ ወንጌል ፡ ውስተ ፡ ኵሉ ፡ አሕዛብ ፡ በከመ ፡ ይቤ ፡ በወንጌል ፡ ወሲዶና ፡ እንተ ፡ አሕዛብ ።

44 ቃለ ፡ ኦሪት ፡ ይሳኮር ፡ ፈተወ ፡ ለሠናይት ፡ ወያዐርፍ ፡ ማእከለ ፡ መዋርስት ። * ትርጓሜ ፡ ይሳኮር ፡ ይትሜሰል ፡ በወልድ ፡ ወሠና * f. 26r ይትኒ ፡ ሐዳስ ፡ ኅግ ፡ ይእቲ ። በከመ ፡ ይቤ ፡ ጳውሎስ ፡ ጽላሎታ ፡ ይእቲ ፡ ኦሪት ፡ ለእንተ ፡ ትመጽእ ፡ ሠናይት ። ወሲራክኒ ፡ ይቤ ፡ ሠናይት ፡ ለሠናያን ፡ ተፈጥረት ፡ እምትካት ፡ ወዕረፍቱኒ ፡ ማእከለ ፡ መዋርስት ፡ ሀለዎቱ ፡ ማእከለ ፡ ሐዋርያት ።

45 ቃለ ፡ ኦሪት ፡ ወሶበ ፡ ርእየ ፡ ከመ ፡ ሠናይት ፡ ዕረፍት ፡ ወአትሐተ ፡ መተከፍቶ ፡ ከመ ፡ ይትቀነይ ፡ ለምድር ፡ ወጸመወ ፡ ወኮነ ፡ ሐረሳዊ ፡ ብእሴ ። ትርጓሜ ፡ ወ[ሶ]በ ፡ ርእየ ፡ እግዚእነ ፡ ከመ ፡ ትከውኖሙ ፡ ሃይማኖት ፡ ሠናይት ፡ ዕረፍተ ፡ ለአሕዛብ ፡ ወረደ ፡ በትሕትናሁ ፡ ውስተ ፡ ዓለም ፡ ከመ ፡ ይ*ትቀነይ ፡ ለምድር ፡ ዘይቤ ፡ ከመ ፡ * f. 26v

ይልበስ ፡ ሥጋ ፡ ምድራዊት ፡ በከመ ፡ ጽሑፍ ፡ በኪዳን ፡ ዘይብል ፡ መ
ኑ ፡ ውእቱ ፡ ዝንቱ ፡ ዘምድረ ፡ ለብሰ ። ወጸመወ ፡ ወኮነ ፡ ሐረሳዊ ፡
ብእሲ ፡ ዘይቤ ፡ አማን ፡ ርኅበ ፡ ወደክመ ፡ ወሀፈወ ፡ እንዘ ፡ ይምህ
ር ፡ ወንጌለ ። ወኮነ ፡ ሐረሳዊ ፡ ወዘራኢ ፡ ትምህርተ ፡ ወንጌል ። በከመ ፡
ጽሑፍ ፡ በወንጌል ፡ ወዘይዘርእሰ ፡ ወልደ ፡ እጓለ ፡ እመሕያው ፡ ውእቱ ።

46 ቃለ ፡ ኦሪት ፡ ኩና ፡ ለዳን ፡ አርዌ ፡ ምድር ፡ ዘይጸንሕ ፡ ው
ስተ ፡ ፍኖት ። ትርጓሜ ፡ ዳን ፡ ይትሜሰል ፡ በወልድ ፡ ወአርዌ ፡ ም
* f. 27r ድር ፡ ኒ ፡ ሰይጣን ፡ ውእቱ ። ወፍኖትኒ ፡ * ዓለም ፡ ይእቲ ፡ ወውስተ ፡
ዓለም ፡ ጸንሐ ፡ ሰይጣን ፡ ለእግዚእነ ። ወፈረስኒ ፡ ጸሐፍት ፡ ወፈረሳዊ
ያን ፡ እሙንቱ ። ወኵሎሙ ፡ እለ ፡ ይምህሩ ፡ ትእዛዘ ፡ ኦሪት ፡ ወዘተ
ጽዕነ ፡ ዲቤሆሙ ፡ እግዚእነ ፡ ውእቱ ። በከመ ፡ ይቤ ፡ ጳውሎስ ፡ ወበ
ላዕሌሆሙ ፡ ተወልደ ፡ ክርስቶስ ፡ በሥጋ ፡ ሰብእ ። ወእግዚእነሂ ፡ ይ
ቤ ፡ ኵሉ ፡ ዘይቤሉክሙ ፡ ጸሐፍት ፡ ወፈረሳውያን ፡ ግበሩ ፡ ዘይነስኮ ፡
ሰኰናሁ ፡ ለፈረስ ፡ ዘይቤ ፡ አመ ፡ አስሐቶሙ ፡ ሰይጣን ፡ ለፈረሳዊያ
ን ፡ ወአኬደ ፡ ሰኰናሆሙ ፡ ውስተ ፡ ስሕተት ፡ ወይወድቅ ፡ ዘይጼዓኖ ፡
* f. 27v ድኅረ ፡ ዘይቤ ፡ ዘኒ ፡ በ*እንተ ፡ ሞቱ ፡ ወስቅለቱ ፡ ለእግዚእ ፡ ይነግር ፡
ወይወድቅ ፡ ዘይጼዐኖ ፡ ድሕረ ፡ ዘይቤ ፡ እስመ ፡ ለኵሉ ፡ ሰብእ ፡
ዘሞተ ፡ ኢያወድቅዎ ፡ በውስተ ፡ መቃብር ፡ በገጹ ፡ አላ ፡ ዳእሙ ፡
ድኅረ ፡ በዘባኑ ፡ ወከማሁ ፡ ለእግዚእነ ፡ አውደቅዎ ፡ ውስተ ፡ መቃብ
ር ፡ ድኅረ ፡ በዘባኑ ። ወይጸንሕ ፡ ከመ ፡ ያድኅኖ ፡ እግዚአብሔር ፡ ዘ
ይቤ ፡ አማን ፡ ጸንሐ ፡ እግዚእነ ፡ ሠሉሠ ፡ ዕለተ ፡ እስከ ፡ ያነሥኦ ፡
አቡሁ ።

47 ቃለ ፡ ኦሪት ፡ ጋድ ፡ ፈያት ፡ ፈያትዎ ፡ ወውእቱኒ ፡ ፈያቶሙ ፡
ተሊዎ ፡ አሰሮሙ ፡ ትርጓሜ ፡ ጋድ ፡ ይተረጐም ፡ በእግዚእነ ፡ ወፈያ
* f. 28r ትኒ ፡ ይሁዳ ፡ * ዘአግብኦ ። ወመልአከ ፡ ሞት ፡ ወሰይጣን ፡ ወማኅበረ ፡
አይሁድ ፡ እለ ፡ ሰቀልዎ ። ወውእቱኒ ፡ ፈያቶሙ ፡ ወተጓሕለዎሙ ፡ በ
ከመ ፡ ጽሑፍ ፡ በኪዳን ፡ ወሶበ ፡ ርእዮ ፡ መልአከ ፡ ሞት ፡ ጌገዮ ፡
ወአምሰሎ ። ወተሊዎ ፡ አሰሮሙኒ ፡ ዘይቤ ፡ ዘወረደ ፡ ውስተ ፡ ሲኦል ፡
ሀገሮሙ ፡ ወበህየ ፡ አሰሮሙ ፡ ወአማሰኖሙ ።

48 ቃለ ፡ ኦሪት ፡ አሴር ፡ ጽጉበ ፡ እክል ፡ ወውእቱ ፡ ይሁብ ፡ ሲሳየ ፡ ለመላእክት ። ትርጓሜ ፡ አሴር ፡ ይተረጐም ፡ በወልድ ፡ ወጽጉበ ፡ እክል ፡ ዘይቤ ፡ ለማን ፡ ጽጉብ ፡ ውእቱ ፡ እክለ ፡ መንፈስ ፡ ወጸሎት ፡ ወስብሐት ፡ ወመሥዋዕት ፡ በከ*መ ፡ ይቤ ፡ ኢሳይያስ ፡ ጽጉብ (* f. 28v) ፡ ለነ ፡ መሥዋዕተ ፡ ሐራጊት ፡ ወውእቱ ፡ ይሁብ ፡ ሲሳየ ፡ ለመላእክት ፡ ዘይቤ ፡ ወሀቦሙ ፡ ትምህርተ ፡ ኀዲስ ፡ ወብሉይ ፡ ለሐዋርያት ፡ ዝውእቱ ፡ ሲሳየ ፡ መንፈስ ። በከመ ፡ ይቤ ፡ ጳውሎስ ፡ እንዘ ፡ ትሴስዮሙ ፡ ቃለ ፡ ሃይማኖት ።

49. ቃለ ፡ ኦሪት ፡ ንፍተሌም ፡ በቀት ፡ ዕረፍት ፡ እንተ ፡ ትሤኒ ፡ አውጽአት ፡ እክል ። ትርጓሜ ፡ ንፍታሌም ፡ ይተረጐም ፡ በእግዚእነ ፡ ወበቀልት ፡ ዕረፍት ፡ መስቀል ፡ እንተ ፡ ኖመ ፡ ዲቤሃ ፡ እንተ ፡ ትሤኒ ፡ መሥዋዕት ፡ አውፅአት ፡ ሥጋሁ ፡ ወደሙ ፡ ለክርስቶስ ፡ በከመ ፡ ይቤ ፡ * ጳውሎስ ፡ ወይእዜሰ ፡ እንተ ፡ ትሔይስ ፡ መሥዋዕተ ፡ አድመዐ ፡ ውሉደ (* f. 29r) ፡ ዘይልህቀ ፡ ዘይቤ ፡ ልዕልናሁ ፡ ለእግዚእነ ፡ ይነግር ፡ እምኲሉ ፡ ፍጥረት ፡ ዘተፈጥረ ።

50 ቃለ ፡ ኦሪት ፡ ዮሴፍ ፡ ወልድየ ፡ ዘይልህቀኒ ፡ ወዘይቀንእ ፡ ሊተ ፡ ወልድየ ፡ ወሬዛ ፡ ዘይገብእ ፡ ኀበ ፡ እለ ፡ ጸአልዎ ። ትርጓሜ ፡ ዮሴፍሰ ፡ ወልድ ፡ ውእቱ ፡ ዘይቀንእ ፡ ለአቡሁ ፡ በከመ ፡ ይቤ ፡ ኢሳይያስ ፡ ቀንአተ ፡ እግዚአብሔር ፡ ጸባኦት ፡ ይገብር ፡ ዘንተ ። ኢዩኤል ፡ ኒ ፡ ይቤ ፡ ወቀንአ ፡ እግዚአብሔር ፡ ለምድሩ ። ወእንዘ ፡ ወሬዛ ፡ ውእቱ ፡ ወልደ ፡ ፴ወ፫ ፡ ዓመት ፡ ገብአ ፡ ላዕሌሆሙ ፡ * ለማኅበረ ፡ አይሁድ ፡ (* f. 29v) እለ ፡ ተዐበዩ ፡ ላዕሌሁ ፡ ወቀጥቀጦሙ ፡ ወአድከመ ፡ መዝራዕተ ፡ እደዊሆሙ ፡ በኀይል ።

51 ቃለ ፡ ኦሪት ፡ በህየ ፡ አጽንዖ ፡ ለእስራኤል ፡ በኀበ ፡ አምላኩ ፡ ለአቡከ ፡ ትርጓሜ ፡ እስራኤልሰ ፡ መሃይምናን ፡ እሙንቱ ፡ በከመ ፡ ይቤ ፡ ጳውሎስ ፡ እስራኤልሰ ፡ ንሕነ ፡ እለ ፡ አመነ ፡ ወበረድኤቱ ፡ አቀረበነ ፡ ኀበ ፡ አቡሁ ።

52 ቃለ ፡ ኦሪት ፡ ወረድአከ ፡ አምላከ ፡ ዚአየ ። ትርጓሜ ፡ በከመ ፡ ይቤ ፡ አብ ፡ በአፈ ፡ ዳዊት ፡ ውእቱኒ ፡ ይብለኒ ፡ አቡየ ፡ አንተ ፡ አ

ምላኪየ : ወረዳእየ : ወመድኀኒየ ። ወእግዚእነሂ : ይቤ : በወንጌል : * f. 30r ሰዐርግአ : ኀበ : አቡየ : ወአቡክሙ : *ወአምላኪየ : ወአምላክክሙ : ኢይምሰልከ : ዘየሐጽጽ : ወልድ : እምአቡሁ : ሶላ : ዕሩይ : ምስሌሁ ። ወጳውሎስኒ : ይቤ : እምቃለ : ዳዊት : ነሢኦ : ወበእንተ : ሰ : ወልዱ : ይቤ : መንበርከ : እግዚኦ : ለዓለመ : ዓለም ። ርኢኬ : ከመ : ይቤሎ : አብ : ለወልዱ : እግዚኦ : ወበዝ : ጠይቀ : ዕርይናሆሙ ።

53 ቃለ : ኦሪት : ወባረከከ : በረከተ : ሰማይ : እምላዕሉ : መለኮቱ : ዘወረደ : እምላዕሉ : ወበረከተ : ምድር : እንተ : ባቲ : ኵሎ : ዝኒ : ትስብእት : ዘነሥአ : እምድንግል : ምድራዊት ። ወዓዲ : ቀድስ * f. 30v ት : * ቤተ : ክርስቲ[ያ]ን : ወበዝ : ባረኮሙ : ወአጽንዖሙ : ለመሃይምናን : በበረከተ : አጥባት : ዝውእቱ : ኀዲስ : ወብሉይ : በበረከተ : : ማኅፀን : ክርሠ : ጥምቀት ። በበረከተ : አቡከ : ዘይቤ : እግዚአብሔር : ወእምከ : ቤተ : ክርስቲያን ። እንተ : ጸንዐት : እምበረከቶሙ : ለአድባር : እለ : ውዱዳን : በበረከተ : መላእ[ክ]ቲሁ : ለእግዚአብሔር : ዘይቤ : እንተ : ትኄይስ : እምግዝረቶሙ : ወመሥዋዕቶሙ : ለአበው : ቀደምት : ዘውእቶሙ : አብርሃም : ወይስሐቅ : ወያዕቆብ : ወሙሴ : * f. 31r እለ : ውዱዳን : ወእዙዛን : በአፈ : መልአኩ : ለእግ*ዚአብሔር ።

54 ቃለ : ኦሪት : ከመ : ተሀሉ : ዲበ : ርእሱ : ለዮሴፍ : ወዲበ : ርእሶሙ : ለእለ : ኮንዎ : አኃዊሁ ። ትርጓሜ : ዮሴፍሰ : ወልድ : ውእቱ : ወአኃዊሁኒ : መሃይምናን : በከመ : ተብህለ : በጳውሎስ : ወበዲድስቀልያ : ርእሶሙ : ለመሃይምናን : ክርስቶስ ። ወርእሱ : ለክርስቶስ : እግዚአብሔር : ወኵሉ : በረከት : ወስብሐት : ዘይትፌኖ : የዐርግ : ለስላሴ ።

55 ቃለ : ኦሪት : ብንያም : ተኵላ : መሳጢ : ይበልዕ : በነግህ : * f. 31v ወፍና : ሰርክ : ይሁብ : ሲሳየ ። ትርጓሜ : ብንያም : ይተረጐም : በጳውሎስ : ወብልዐቱኒ : በነግህ : * እስመ : እንዘ : ንኡስ : ወሬዛ : ውእቱ : ኮነ : ከመ : ተኵላ : መሣጢ ። ወቀተሎሙ : ለአርዳአ : እግዚእነ : ወፍና : ሰርክ : ይሁብ : ሲሳየ : ዘይቤ : እስመ : በደኃሪቱ : ኮኖሙ : ሰባኬ : ወንጌል : ለአሕዛብ ። ወሴሰዮሙ : ቃለ : ሃይማኖት : ወ

ከመዝ ፡ ውእቱ ፡ በረከቱ ፡ ለያዕቆብ ፡ ዘባረኮሙ ፡ ለደቂቁ ፡ ለመ ፡ ተነበየ ፡ በእንተ ፡ ክርስቶስ ። ወቦ ፡ እመተርጕማን ፡ እለ ፡ ይፌክርዎ ፡ ኀበ ፡ ሐዋርያት ። ወለበረከተ ፡ ዳን ፡ ይብልዋ ፡ ኀበ ፡ ኀሳዊ ፡ መሲሕ ። ወእመሰ ፡ ይቤ ፡ ያዕቆብ ፡ በእንተ ፡ ሐሳዌ ፡ መሲሕ ፡ ኢኮነ ፡ በረ*ከ * f. 32r ተ ፡ አላ ፡ መርገመ ፡ ወእርመ ፡ ትብል ፡ ኦሪት ፡ ለለ ፡ አሐዱ ፡ በከመ ፡ በረከቱ ፡ ባረኮሙ ፡ ወለዳንሂ ፡ ይቤሎ ፡ ይጸንሕ ፡ ከመ ፡ ያድኅኖ ፡ እግዚአብሔር ፡ ወእሮ ፡ ይጸንሕ ፡ ሐሳዌ ፡ መሲሕ ፡ መድኀኒተ ፡ ዘእምኀበ ፡ እግዚአብሔር ። ወበዝ ፡ አእምሩ ፡ ወለብዉ ፡ ወሰላም ፡ ለክሙ ።

56 ለንስትያ ፡ ደቂቁ ፡ ለያዕቆብ ፡ ብእሲተ ፡ ሮቤል ፡ አዳ ። ወደቂቁ ፡ ሴኖክ ። ፋሉስ ። ኤስሮም ። ወከራሚ ፡ ወኮኑ ፡ ፬ ፡ ወብእሲተ ፡ ስምዖን ፡ አደባላ ። ወውሉዱ ፡ ኢያሙኤል ። ኢያሚ ። ሳዎት ። ኢያኪም ። ሳኦር ። ወሳውል ፡ ወልበ ፡ ፍንስዋት ። ወኮኑ ፡ ፮ ፡ ወብእሲተ ፡ ሌዊ ፡ ሚ*ልከ ። ወውሉዱ ፡ ጌድሶን ። ቃዓት ፡ ሚራሪ ። ወኮኑ ፡ ፫ ፡ ወመርዓ * f. 32v ተ ፡ ይሁዳ ፡ ትዕማር ፡ ወደቂቁ ፡ ፋሬስ ። ወዛራ ። ወሰልሞን ። ወልደ ፡ ሴዋ ። ብእሲቱ ፡ አልእት ። ፫ ፡ ወብእሲተ ፡ ይሳኮር ፡ አቲቃ ። ወደቂቁ ፡ ቶላ ። ወ[ፉ]ኣ ፡ ወኢያሰብ ። ወሳምርም ። ፬ ፡ ወብእሲተ ፡ ዛብሎን ፡ ወምር ። ወውሉዱ ፡ ናትር ፡ ኤሎን ። ኢያልኤል ። ፫ ፡ ወብእሲተ ፡ ዳን ፡ ኤዋላ ። ወውሉዱ ፡ ኩስ ። ሰምን ። ለሰድ ። ሬታሳ ። ሰልሞን ። ፭ ፡ ወብእሲተ ፡ ንፍታ[ሌ]ም ፡ ራድአ ። ወውሉዱ ፡ ኣሴኡል ። ጋዛኒ ። ኔሴር ። ባሎም ። ሌው ። ፭ ፡ ወብእ*ሲተ ፡ ጋድ ። መአክ ። ወደቂቁ ፡ ሰፍዮ ። ማም * f. 33r ቶ ፡ ሱነ ። አሲለእ ። አልሊ ፡ አሮዲ ። ፮ ፡ ወብእሲተ ፡ አሴር ፡ ኢዮና ። ወውሉዱ ፡ አዮምና ። ሴርያ ። ወሳሬ ። ይትኮ ። ወለት ። ፬ ፡ ወብእሲተ ፡ ዮሴፍ ፡ አስኔት ። ወውሉዱ ፡ ኤፍሬም ። ወምናሴ ። ፪ ፡ ወብእሲተ ፡ ብንያም ፡ ኢያሳኮ ። ወውሉዱ ፡ በልባኮር ። ሳብኤል ። ጉኤዮ ። ንኤሚን ። አብዳኤንስ ። ራኤል ፡ ሰናኒም ። አፉም ፡ ወመመ ።

ምዕቀብና ፡ አብ ፡ ወወልድ ፡ ወመንፈስ ፡ ቅዱስ ፡ ወምዕቀብና ፡ ኵሉ ፡ ቃሎሙ ፡ ወምዕቀብና ፡ እግዝእትነ ፡ ማርያም ፡ አነ ፡ ገብርክሙ ፡ ዘእንበለ ፡ ግዕዛን ።